Les Chambres

Les Chambres

poème du temps
qui ne passe pas

Louis Aragon

Translated by
John Manson

smoke

STACK
BOOKS

Smokestack Books
Lake Terrace, Grewelthorpe, Ripon HG4 3BU
e-mail: info@smokestack-books.co.uk
www.smokestack-books.co.uk

ISBN 9781999827656

Smokestack Books
is represented
by Inpress Ltd

'Un jour vient où le temps ne passe plus'
Chansons de
Madeleine Lalande

Table

Contents

Un jour noir dans une
Maison de mensonge

Toute en couloirs en coulisses
Sans couleurs

Les murs déchirés les portes qui font
Chut

Cages d'ascenseurs d'où
Des yeux entre des doigts
Nous suivent au passage

Partout SILENCE écrit
Le temps fume en cachette

On a perdu le scénario
Tout le passé par mégarde
Égaré

Nous sommes amputés à l'épaule de l'aile
Plie en ma main ta main tremblante

Ce n'est pas l'étage ici

Nous étions montés trop haut d'un palier par
L'escalier de fer aux marches trouées

Qui sait

La vie au bout du compte est une
Mauvaise photographie

Entre leurs gants étrangers t'ont prise des gens
C'est de toi qu'il s'agit tandis que je tourne mon œil vers
les toits
C'est de toi qu'il s'agit de tes yeux ta mémoire
J'ai peur au loin quand tu parles peur quand
Tu te tais

A black day in a
House of lies

All corridors wings
Colourless

Walls ripped doors which
Shhh

Shafts of lifts from which
Eyes between fingers
Follow us in passing

Everywhere SILENCE signed
Time smokes on the sly

The script has been lost
All the past inadvertently
Lost

We are shorn from wing to shoulder
Fold your trembling hand in my hand

This is not the floor

We had climbed too high from a landing by
The iron staircase with the perforated steps

Who knows

Life at the end of the day is a
Bad photograph

They've taken you away in their unfamiliar gloves
    It's you who is important while I look out at
the roofs
    It's you who is important your eyes your memory
    I'm afraid deep down when you speak afraid when
    You're silent

Peur de l'image et de la phrase
Peur comme on est parfois jaloux
D'autres yeux ouverts pour te voir

En ce siècle bizarre une femme peut être
Ainsi la proie et l'ombre d'autrui
Fou qu'ai-je fait de t'amener ici
Comment désormais t'enfermer pour moi seul On veut

Savoir l'enfant que tu fus l'arbre où tu t'appuies
Ce grand chapeau de paille
Eux veulent te connâtre avant moi
Ils me tournent de leurs lumières

Ce n'est pas la première fois qu'on cherche à te prendre
À moi ni la
Dernière

J'aurais voulu t'avoir pour moi seul avec
Le monde en fait de chamber d'hotel.

*Je retrouve de ce jour-là UN JOUR NOIR DANS UNE un papier
quadrillé jauni C'est de quand on m'eut chassé du local que je n'y
Trouble pas les prises de veues
Un papier quadrillé qui fait vert sur une feuille blanche à la
lumière artifi-
Cielle*

*On m'avait chassé dans la pièce au fond la pièce inutile où
régnait un désordre nul et qui
DONNAIT sur la cour et les bruits de la ville vers le soir
Afin que je ne trouble pas
Les prises*

Tu l'as déjà dit

Afraid of the image and of the words
Afraid as one is sometimes jealous
Of other open eyes seeing you

In this strange century a woman can be
Thus the prey and the shadow of others
Mad that I've been to bring you here
How now shut you up for myself alone One wishes

To know the child you were the tree you lean against
This big straw hat
They want to know you before me
They turn me away from their lights

It's not the first time they try to take you
From me nor the
Last

I should have wished to have you to myself alone with
The world by way of a hotel·room

*From that day A BLACK DAY IN A I rediscover a yellowed squared
paper It's from when they'd driven me out of the room so that I didn't
Disturb the taking of shots
A squared paper which turns green on a white sheet in the
artifi-
Cial light*

*They'd driven me into the room at the back the useless room
where a worthless chaos prevailed and which
GAVE on to the yard and the noises of the town towards evening
So that I didn't disturb
The taking*

You've said it already

De vue oui Je l'ai déjà dit c'était l'affaire de s'expliquer
d'expliquer ce qui suit

Un papier quadrillé jauni

Le temps parfois s'exprime comme un peintre
Il change la couleur ou si vous préférez
Il change de couleur come un homme pâlit

Of shots yes I've said it already it was the way of explaining oneself of explaining what follows

A yellowed squared paper

Time sometimes expresses itself like a painter
It changes the colour or if you prefer
It changes colour as a man grows pale

Le Papier Quadrillé

Square Paper

J'ai soufflé crié murmuré ton nom d-
Ans la petite bouche à jour sur le monde
Et quand par les toits de tôle et de pluie
Les mille et un râteaux ont tenté saisir ma parole
Entre leurs maigres griffes grises
Le mot comme il a pu s'est sauvé des maisons mauves
Ô petit linge rose ô désordre de la vie
Privée à l'appui des fenêtres
Plongeant les cours la pauvreté
Le tabac du coin le vent des fumées
Des lettres vont s'écrire jusqu'à l'aube d'oiseaux invisibles
Qui ne chantent plus leurs amours depuis
Que brille au-dessus des studios la lueur artérielle

SILENCE ON TOURNE

Et tous les moteurs de la rue
S'ébrouent s'enrouent au fond du trou
Où le bruit s'enferre et s'enterre

Je perds de vue au loin ma voix ma vie
Le soir agite un mouchoir d'adieu
Sur cette scène immense où s'effacent les deux syllables
bleues
D'Elsa dans cet étonement d'un baiser qui se brise

Combien cela fait-il que ces mots-là m'ont fendu les
lèvres
Comme un rire de loup dans la neige
Sept ans peut-être et j'
Attends toujours que soit renversé le temps
Damné ces tant d'années
Sept ans tout juste at la langue de l'homme à lui-même
Est amère ah le long apprentissage de se taire
Enfin

I've whispered called murmured your name
In the little mouth open to the world
And when over the roofs of sheet iron and rain
The thousand and one rakes have tried to catch my word
In their thin grey teeth
The word escaped as best it could from the mauve houses
O little pink linen o chaos of private
Life at the window-sills
Looking down into the courtyards the poverty
The corner tobacconist's the wind from the dung-hill
Letters will be written till the dawn of invisible birds
Which sing their loves no longer since
The arterial light gleams above the studios

SILENCE, FILMING

And all the engines in the street
Vibrate grow hoarse at the far end of the place
Where the noise both reveals and buries itself

I lose my voice my life in the distance
The evening waves a handkerchief of goodbye
To this vast scene where the two blue syllables
of Elsa
Fade away in this wonder of a breaking kiss

What does it amount to that those words have split my
lips
Like a wolf's howl in the snow
Seven years perhaps and I
Still wait for the time to be reversed
Damned these so many years
Seven years almost and the man's tongue tastes bitter
To himself ah the long apprenticeship of being silent
In short

Je n'ai rien appris tout ce que j'ai vu je l'ai vu
En vain Je l'ai bu comme un vin
Trop vieux sans goût ni chaleur un vin vide un verre
Renversé dans la vie un vinaigre
Éventé de tout sauf de l'amertume

Allez-vous-en vous n'aurez pas de moi le plus petit
Espoir Ailleurs cherchez celui
Qui mente et dites-lui merci d'avoir menti
Sa menthe Moi
Je m'en ira n'ayant plus profound regret que de n'avoir
pas su dire le pire
De vous laisser malgré tout je ne sais quelle version des
choses
Et vous livrer même ceci comme une petite chanson
Qui s'est assise en route sur une charrette sans
Remarquer le cerceuil porté que les pierrres secouent
Allez-vous-en faire les jolis coeurs au bord du crime
À l'ombre aveugle des horloges
Faites si vous le pouvez de ceci musique
Marchez sur vos genoux talés Dansez dansez
En rond Chantez chantez la *Marjolaine* ou Dieu sait quoi
Pour qu'on se croie
Un instant auprès des fontaines

I've learned nothing everything I've seen I've seen
In vain I've drunk it like too old
A wine without taste or warmth a flat wine a glass
Turned upside down in life a vinegar
Spoiled of everything but bitterness

Get away you won't get from me the faintest
Hope Look elsewhere for the man
Who may be lying and thank him for having lied
His mint
I'll go away with no deeper regret than not having known
how to tell the worst
Of leaving you in spite of everything some version or other
of things
Of delivering even this to you like a little song
Which has settled on the way on a cart without
Noticing the carried coffin that the stones shake
Go and put on airs and graces on the verge of the crime
In the blind shadow of the clocks
Make music of this if you can
Go on your bruised knees Dance dance
In a ring Sing sing the *Marjolaine* or heaven knows what
So that one may believe oneself
For an instant beside the fountains

Sept ans depuis ces mots-là sept ans ont passé sur mon
visage et sur mon âme
Sept ans ont passé comme un loup que chaque jour
chaque nuit un peu plus affame
Arrachez-moi ce loup La peau viendra
Je n'ajouterai rien à mon chant qu'il s'achève sans que
j'aie appris rien de l'âge
Ma leçon c'est de n'en point laisser n'en avoir tiré jamais
une de rien l'ombre d'une
À qui laisser mon héritage un cyanure
De mots tombés des utopies
Tout aura toujours été plus amer que le pire coup de pied
pour un chien
Comme c'est long de mourir une vie entière

Je vous vois secouer la tête il y a des siècles que je vous
vois secouer
La tête ainsi pour vous rassurer sans doute
Des siècles et des siècles de jours et de minutes que je suis
devant vous la main prise dans la roue
Sans crier
Le vent mon amour naît dans la bouche de l'oiseau
comme la parole bat de l'aile en nous
Et soudain le vol s'incline à terre et le gémir de l'arbre
parcourt les phrases frémissantes
Dont les feuilles si forcenément s'agitent qu'elles perdent
à la fois leur force et leur sens
Plus l'homme est vieux plus il est nu plus ce qu'il dit le
quitte à regret de cette façon de quelqu'un qu'il le veuille
ou non qui avoue
Un secret Quel secret devant la mort est encore un secret
le voici
Pareil à lui-même enfin malgré tant d'années
Que ces murmures l'habitent
Tant d'années

Seven years since those words seven years have passed over
my face and over my spirit
Seven years have passed like a wolf that every day
every night makes a little more hungry
Tear this wolf from me The skin will come off
I'll add nothing to my song which it ends without my
learning anything of the age
My lesson is to leave nothing of it at all never to have derived
one from anything the shadow of one
To whom leave my legacy a cyanide
Of failed words utopias
Everything will always have been more bitter than the worst
kick to a dog
How long it takes to die a whole lifetime

I see you shaking your head centuries ago I see
you shaking
Your head to re-assure yourself like that no doubt
Centuries and centuries of days and minutes that I'm in your
presence my hand caught in the wheel
Without crying out
The wind my love rises in the bird's mouth as the word fails
in us
And suddenly the span swoops to the ground and the
moaning of the tree sighs through the rustling sentences
Of which the leaves toss so wildly that they lose their strength
and their meaning at one and the same time
The older man is the more naked he is the more what he says
leaves him with regret in the manner of someone whether he
wants to or not who confesses
A secret What secret confronted by death is still a secret
here it is
Equal to himself at last despite so many years
That these murmurs live in him
So many years

Les mots autour de nous assis comme des
Chiens sages
Comme les chenets du feu les murs peints
Les rideaux lourds aux yeux las des fenêtres
Les mots comme des fleurs dans la verre
De ne rien dire Les mots comme un verrou
Mis à la porte
Et le grand lit doucement qui s'ouvre
Et te regarde

Je dirai les chambers de mots meublées
Où nous fûmes seuls
À vivre Ces quatre mots ces quatre murs
Le long siècle de nous qui n'est fait pour personne
D'autre et personne pour
Le déchiffrer à ses initials d'oreiller
Je dirai LES Vous savez comme
L'une à l'autre les lettres sont douces sur
Le coin de l'oreiller s'enlaçant Je dirai
LES

The words around us sitting like
Good dogs
Like the fire-dogs the painted walls
The heavy curtains over the weary eyes of the windows
The words like flowers in the glass
Saying nothing The words like a bolt
Shot in the door
And the double bed which folds back, gently
And looks at you

I'll tell of the furnished rooms of words
Where we were alone
To live These four words these four walls
Our long century which is not made for anyone
Else and for no one
To make it out from its initials on the pillow
I'll tell of THE You know how
One in the other the letters are smooth intertwining
On the corner of the pillow I'll tell of
THE

...Chambres

...Rooms

Un bras autour de toi
Le second sur mes yeux
L'un t'empêche de fuir
L'autre maintient mes songes

Ce lieu fermé de nous
Soudain si je m'éveille
Du sommeil des voleurs
La nuit noire m'y noie

Tout m'est plus que mémoire
À ce moment d'oubli
Dans la forêt du lit
Tout n'est plus que murmure

Et notre tragédie
Au long jeu de dormir
À demi-mots amers
L'obscurité la dit

Absente mon absente
Si faussement que j'ai
Dans mes bras étrangers
Comme une image peinte

Absente mon absente
Si faussement plongée
En mes bras étrangers
Comme une image feinte

J'ai des yeux pour pleurer
Quelle que soit la chambre
Les plafonds s'y ressemblent
Pour être malheureux

One arm around you
The other across my eyes
One stops you escaping
The other preserves my dreams

In this closed place of ours
If I wake up suddenly
From the sleep of the robbers
The black night drowns me in it

Everything is more to me than remembering
At this moment of oblivion
In the forest of the bed
Everything is no more than murmuring

And our tragedy
In the long game of sleeping
In bitter hints
The darkness tells it

Absent one my absent one
So falsely that I have
In my strange arms
Like a painted image

Absent one my absent one
So falsely thrust
Into my strange arms
Like an imaginary image

I have eyes to weep
Whatever the room
The ceilings there are alike
For unhappiness

Ailleurs sans doute ailleurs
Aussi bien qu'où je suis
Oreille à tous les bruits
Qui braillent le malheur

Au grand vent dans un port
Comme un amant quitté
Au bout de la jetée
Espère et désespère

Et les barques à sec
La grève à marée basse
Et là-bas de mer lasse
Échoués les varechs

Si je pouvais savoir
Qui te tient contre lui.
O mon enfant enfuie
Où se passent tes rêves

Serait-ce qu'il te plaît
Par ce qu'il fait usage
D'un aveugle langage
Que l'aigle seul emploie

Serait-ce qu'il te mène
Où la folie est roi
Et qu'il ouvre pour toi
Les portes inhumaines

Ou d'un plaisir sans fin
Le pouvoir sacrilège
Qu'a-t-il donc et que n'ai-je
La force qu'a le vin

Reviens de nulle part
N'importe où je t'attends

Elsewhere no doubt elsewhere
As well as where I am
Ear to all the noises
Which shout unhappiness

In the high wind in a port
As an abandoned lover
At the end of the pier
Hopes and despairs

And the boats high and dry
The shore at low tide
And slack sea out there
The seaweed stranded

If I could know
Who holds you close to him
O my escaped child
Where your dreams take place

Would it be that he pleases you
Because he uses
An obscure speech
That only the genius employs

Would it be that he leads you
Where madness is king
And opens for you
The inhuman doors

Or the sacrilegious power
Of an endless pleasure
What has he therefore and I haven't
The strength of wine

Come back from nowhere
No matter where I wait for you

C'est ta chambre pourtant
Puisque c'est d'où tu pars

It's your room however
Since it's where you leave from

1

Le meurtrier se souvient comme le feu des feuilles
Comme le vent des portes
Le meurtrier se souvient du bras et de l'œil
Du geste et de la force

Ah ce jour d'arbre humilié jusqu'au front
L'âme qu'on tire de l'écorce
Le grand pouvoir d'anéantir Ce fût brisé
Le meurtrier se souvient de ci qui fut pour lui seul
Puisque l'autre est mort ou que l'autre est morte

Il n'y a pas de vin plus soul que le secret
Il n'y a pas plus grand'merveille qu'à savoir sans partage
Et celui-là qui fait mourir sa vie après
Sa vielle sans remords en pleine conscience
Je t'envie assassin mon frère par le sang
Pour tout ce temps muet à revivre ton crime
Pour ce refuge en toi d'écarlate et de cris
Etouffés
Pour ce théâtre palpitant en quoi toute maison se
transforme si tu
T'y enfermes

Je t'envie assassin pour ton tumulte sourd
Parce que plus jamais ainsi ne m'écherra faire l'amour
De celle que j'ai tout le long de mon vivre aimée à la
semblance du meurtre
Parce que cette chose de nous vivants cette chose
De nous deux ce ciel démentiel
Qui n'a de mots pour être et qu'il est vain
Désirer à l'envers parcourir comme une route
Cette chose de nous toujours nouvelle quand elle vint
Sur nous s'abattre n'était que de moi seul sans doute

Meurtrier meurtrier que je t'envie
Toi qui vis clos dans ta mémoire

The murderer remembers as the fire the leaves
The wind the doors
The murderer remembers the arm and the eye
The movement and the force

Ah this day of the tree split right to the crown
The heart ripped out of the bark
The great power of destruction This might be shattered
The murderer remembers what was for him alone
Since the other is dead or the other woman is dead

There's no wine more intoxicating than the secret
There's no greater wonder than knowing without sharing
And he who kills his life after
His vigil without remorse in full consciousness
I envy you, assassin, my blood brother
For all this dumb time to relive your crime
For your inner refuge of confusion and of cries
Stifled
For this throbbing theatre into which every house is
turned if you
Shut yourself up in it.

Assassin I envy you for your muffled tumult
Because in that way never again will it fall to me to gain the love
Of the one I have loved all my life in the likeness
of murder
Because this love of us living this love
Of us two this utterly mad sky
Which has no words for being and it is vain
To want to go over on the wrong side like a road
This love of ours always new when it came
To land on us was doubtless only mine

Murderer murderer how I envy you
You who live enclosed in your memory

Mais moi rien
Mon amour j'ai beau de chambre en chambre en
poursuivre les pas
J'ai beau voyager de halte en halte chercher
L'endroit du sanglot la grange ou le lit
Mon amour j'ai beau le traquer où son ombre fuit
J'ai beau tenter d'en ouvrir les serrures à chiffre
J'ai beau frapper de mon poing nos battants verrouillés
J'ai beau l'appeler mon amour beau vers lui crier
Je me perds parmi nous je me perds parmi nos
Cages
       quelques jours louées
S'il fume encore un feu peut-être où nous fûmes
Le temps aveugle en confond les parfums

Les amants ont pas de fumées
Ils s'éloignent l'un l'autre comme font
Les convives obscurs qui heurtent les plafonds
De leurs têtes fantômes
Au-dessus d'un repas porté jusqu'à leurs lèvres
Regarde l'ombre sur le mur est-ce bien moi
Mon âme est-ce
Bien toi semblance de nous-mêmes
Toutes les stations n'auront jamais été qu'auberges
La vie ainsi qu'un lit ouvert
On l'abandonne
Et dans les draps défaits où ne dort plus personne
Personne n'entendra nos cris d'alors éteints
Personne ne lira nos corps d'entre eux détreints
Sur les rides du linge écrits comme un sommeil secret
d'écrevisses

Ô Chine noire des ruisseaux où tremble
Où tremble le chiffon rouge d'un baiser
Piégé

But me not at all
My love in vain I follow its footsteps from room
to room
In vain I travel from stop to stop to seek
The place of the sob the barn or the bed
My love in vain I track it where its shadow flees
In vain I try to open its combination locks
In vain I pommel our latched shutters
In vain I call her my beautiful love cry out to her
I lose myself in us I lose myself on our
Stairways
                  rented for several days
If a fire still smokes perhaps where we were
Blind time mingles its scents

Lovers have no smoke
They leave each other as do
The strange guests which bump the ceilings
With their ghostly heads
Over a meal brought up to their lips
Look at the shadow on the wall is it really me
My heart is it
Really you resemblance of ourselves
All the stops will never have been more than inns
Life like a turned down bed
We leave
And in the ravelled sheets where no one sleeps any longer
No one will hear our faint cries of former times
No one will read our unravelled bodies between them
On the wrinkles of the linen written like a secret sleep of
crayfish

O Indian ink of the streams where quivers
Where quivers the red chiffon of a kiss
Trapped

2

Chambres depuis la grotte aux bisons fléchés
Caves nids barques demeures de bois ou de paille
Et les veilleurs épouvantés des fauves à pas bleus
Chambres toujours abris de silence et de pierre
Où brûlent sans regard les parlers ténébreux
Chambres d'étoffes en plein vent pour les rois qui font
la guerre
Chambres à grande eau pour des dieux couverts
de sang
Chambres du guet l'œil fendu sur les approches
du danger
Caves prismes chambres suppliciaires
Puits éternel où la lune revient sur le condamné
S'étonnant à ses yeux ouverts qu'il vive encore
Chambres d'attente où la femme patiemment
Prépare son corps à la violence
Ô lenteur de plaire ô perfection des ongles Chevelure
Du matin pur entre les doigts jusqu'au soir profond
des premières
Étoiles

Et moi les bras lourds de songes
Par les chemins amers les villes peintes leurs fumiers
Les gens pleins de fureur à la bouche de calculs
encombrés

Le bruit des chevaux chassés par les faubourgs
La clameur au-dessus de moi nouvellement inventée
Des oiseaux à plans variables qui crèvent les plafonds
sonores

La tête noire d'apprendre et d'oublier moi
Toute ma vie aura redit de chambre en chambre
L'histoire à n'en plus finir des tribus

Nuits de transhumance toits furtifs Tout m'est à la
mémoire crypte
Toute Égypte tout
Hiéroglyphe

Rooms since the cave with the arrowed bison
Cellars nests boats homes of wood or of straw
And the terror-stricken watchers of the deer with blue feet
Rooms always shelters of silence and of stone
Where obscure languages smoulder lifelessly
Field tents in the open air for the kings who wage
war
Rooms with hoses for Gods covered in blood
Look-out rooms eyes wide-open to the approaches
of danger
Vaults prisms torture chambers
Everlasting pit where the moon comes back over the
condemned man
Surprised from his open eyes that he's still alive
Waiting-rooms where the woman patiently
Prepares her body for violence
O deliberation of pleasing o perfection of the nails Chevelure
From the cloudless morning between the fingers to the
intense evening of the first
Stars

And I arms laden with dreams
On the galling roads the painted towns their dunghills
The people full of fury in their mouths of loaded
motives

The noise of the horses chased through the suburbs
The uproar above me newly invented
Birds on variable planes which split the resonant
ceilings

The dull head of learning and forgetting I
My whole life will be retold from room to room
The never-ending story of the tribes

Nights of transhumance secret roofs
Everything for me is a crypt in my memory
All Egypt all
Hieroglyphics

Et peut-être bien que je dors dans une pyramide où
Les mots figures couvrent les parois d'un
Châle tendre et doux
Que disent-ils à bouche close Eux
Qu'ignore l'oreille

Ou c'est ailleurs sans alphabet
Je lis dans la main des fleurs ma destinée
Rien ne dépend de moi que périr

Je suis une autre nuit assis dans la cabane obscure
quelque part
Parmi les filets hauts et noirs dans l'odeur d'argent des
bêtes marines
Il vient jusqu'à mes pieds dans ma somnolence au loin
la longue plainte
Que fait au bord de la terre un interminable ourlet
d'écume

Ailleurs encore quelqu'un court
Parmi des bruits de freins dans le dédale obscur
Des ruelles
J'écoute les événements sans vocabulaire Les
Paroles sans parler Les récits du grand orchestre sans
Chanteurs Scribe
De ce qui ne s'écrit point j'écris je suis
Dans la position de l'homme
Écrivant

Dans un trou dans une trappe une tente un tram Sous
Un auvent J'écris dans un creux dans un coin
Dans une guerre ou l'autre

Sous les combles de l'escalier croulant Derrière
La nuque de la nuit Contre
Le ventre du temps J'écris
À reculons comme les crabes Je crie
Dans ma coquille où personne n'entend
Le silence craquer les meubles de mon crâne

And perhaps though I sleep in a pyramid where
The decorated words cover the surfaces of a
Soft delicate shawl
What do they say with their mouths shut They
Whom the ear doesn't know

Or it's elsewhere without an alphabet
I read in the hand of the flowers my destiny
Nothing lies in my hands but to perish

Another night I'm sitting in the dark shanty somewhere
Among the tall black nets in the silver smell of the
sea creatures
It comes up to my feet in my drowsiness far away
the long moan
Which an interminable hem of foam makes at the edge
of the land

Elsewhere again someone runs
Among noises of bridles in the dark labyrinth
Of the lanes
I listen to the events without vocabulary The
Words without speaking The recitals of the great orchestra without
Singers Scribe
Of the man who signs nothing at all I write I am
In the position of the man
Writing

In a hole in a trap a tent a train Under
A canopy I write in a hollow in a corner
In some war or other

In the attics on the tottering staircase Behind
The nape of the night Against
The belly of time I write
Backwards like the crabs I call out
In my shell where no one hears
The silence cracking the fittings of my brain

J'écris
Cet homme-là sur ses genoux
Écrit Aussi bien sur la table
Cet homme-là qui me ressemble
Imitant à tort et à travers la cruauté
D'anciennes signatures La
Cicatrice pâle des propos dédaignés
Le parafeu des paraphes

Ô baraque baraque bruits bas d'insectes Soudains
Courants d'air et quelque chose bat loin
De l'aile sur les tuiles.
À quoi songe-t-elle en sa toile ma sœur
L'araignée
Craignant les souffles de l'air craignant le poids
du plâtre
Des poussières
Au milieu de ses voiles de veuve blancs
À quoi songe-t-elle dans son lambeau ballant de palais
n'importe où
Suspendu

J'aurais aimé ce gîte à l'aisselle des poutres
Pour m'y ressouvenir de toi
D'où je restais t'attendre aux heures fléchissantes
Quand l'ombre à tex pieds s'efface tant que
Ne se lèvera pas la lune

J'aurais aimé ce gîte entre les pierres plates
Pour m'y ressouvenir de toi
Fixer l'image à la muette
Comme les rouliers font au mufle des poids lourds
Ces filles d'Oklahoma

I write
That man on his knees
Writes As well on the table
That man who looks like me
Imitating at random the cruelty
Of old signatures The
Pale scar of the despised subjects
The firewall initials

O shanty shanty low noises of insects Sudden
Currents of air and something beats its wings far away
On the tiles
What is she dreaming about in her web my sister
The spider
Dreading the puffs of air dreading the weight
of the plaster
Dusts
In the middle of her widow's white veils
What is she dreaming about in her dangling scrap of palace
no matter where
Hanging

I would have loved this lodging in the haunch of the beams
To remember you there again
From where I was staying to wait for you in the flagging hours
When the shadow of your feet disappears as long as
The moon will not rise

I would have loved this lodging among the smooth stones
To remember you there again
To make fast the image without speaking
As the carriers do to the muzzle of the heavy loads
These Oklahoma girls

J'écris je dis j'écris je mens
Nul ne sait ce qui me foule à ses pieds
Quand j'écris quels chevaux fous leurs fers
Cela s'écrit sur moi ce
Qui s'écrit sur moi qui me déchire que
Je déchire Il n'en reste
À la fin que le fin
Dessin de ce qui reste
Ici j'écris sur ton aurore à minuit
Quand vas-tu te lever lumière et moi j'écris
Je décris

Il y a des gens quelque part qui n'en peuvent plus
de silence
Ils font des marques n'importe qu'on sache
Qu'ils passèrent ici D'autres signent un mur ou l'épaule
d'une statue
Il y a des gens qui ne laissent d'eux-mêmes que la date
ou l'initiale d'un amour
Il y a des fous qui gravent sur un banc de la nuit
L'aveu d'un crime
Il y a des rôdeurs qui laissent sur un arbre
Le signe obscène de leurs passions
Ils ne connaissent pas leurs lecteurs
Les passants à l'œil vide et ceux
Qui s'interrogent
D'un message laissé sur une porte
D'un mot qui n'a plus de sens après
Qu'on a démoli la prison

Les passants regardent brûler vainement les enseignes
Les passants ne comprennent rien à cette hâte
D'avoir écrit ce qui jamais n'entera dans les livres
Ils hochent la tête et les caractères demeurent
Eux passés comme un rendez-vous manqué
Nous sommes tous les désespérés d'un naufrage
Agitant des mouchoirs ou faisant d'une bouteille éculée
un haut-parleur

I write I say I write I lie
No one knows what rides rough-shod over me
When I write what wild horses their shoes
That is inscribed on me
What is inscribed on me which rends me which
I rend There only remains
At the end the fine
Outline of what remains
Here I write on your dawn at midnight
When are you going to rise light and I I write
I describe

There are people somewhere who are tired
of silence
They make marks no matter that we know
They passed here Others sign a wall or the shoulder
of a statue
There are people who only leave of themselves the date
or the initial of a love
There are madmen who carve on a night bench
The confession of a crime
There are prowlers who leave on a tree
The obscene symbol of their passions
They don't know their readers
The passers-by with vacant eyes and those
Who wonder
About a message left on a door
About a word which has no more meaning after
The prison has been demolished

The passers-by watch the signs burning in vain
The passers-by understand nothing of this haste
To write what will never be published
They shake their heads and the characters remain
They passed like a missed meeting
We are all the desperate shipwrecked
Waving handkerchiefs or making a loudspeaker out of
a grazed bottle

Je suis comme vous les uns les autres
J'écris et je lis sans comprendre d'où
Me viennent où vont ces mots formés
Il faudrait peut-être expliquer cette étrange manie

J'ai vu pendant la guerre un marin qui s'était
Donné pour cahier son corps tout entier piqué
D'épingles bleues
Il était couvert de femmes de serpents de forêts
Mais il ne se déshabillait pas devant tout le monde
Il n'avait jamais songé prendre à ceux
Qui le lisaient l'argent de voir

Je ne suis pas très différent de cet homme
Moins beau voilà tout Je ne donne
Spectacle que de mon âme
Je suis assis sur une marche de moi-même
J'écris un discours jamais prononcé
Mais ma main barre aussitôt la phrase commencée
Ce que je veux dire n'est pas de mots plus
qu'un soupir
Plus qu'un signe de moi-même un nom d'
Autre monde un trait tiré par quoi je me trahis
Une courbe sans loi rapide à se couper se

Recouper je barre
Ce que j'écris mon poignet annulant les vocables
De son fouet d'encre pur et bleu
Je barre ce que j'écris j'anéantis je raie
Le dire comme un dos
Il reste

La ligne qui se tord sur son lit de syllabes
Et je te reconnais dans ce désordre de ma main

Toutes les ratures de ce que j'écris sont des femmes
couchées
À ta semblance
Il y a sur le chant essayé cette ombre de toi
Toujours ou cette absence

I am like you one and all
I write and I read without understanding whence
Come to me where go these well-formed words
Perhaps it would be necessary to explain this strange madness

I saw during the war a sailor who had
Given himself for a notebook his whole body pricked
With blue pins
He was covered with women with snakes with forests
But he didn't undress in front of everyone
He had never thought of taking money to be seen
From those who read him

I'm not very different from this man
Less handsome that's all I make
A show only of my soul
I am sitting on a step of myself
I write a speech never delivered
But my hand crosses out at once the sentence commenced
What I mean isn't in words as much
as a sigh
As much as a sign of myself a name of
Another world a line drawn by which I reveal myself
A curve with no swift law to give itself away

To confirm itself I cross out
What I write my wrist cancelling the words
With its whip of pure blue ink
I strike out what I write I destroy I delete
The statement like a disappointment
It remains

The line that writhes on its bed of syllables
And I recognise you in this disorder of my hand

All the erasures of what I write are women
lying down
In your likeness
On the song attempted there falls this shadow of you
Always or this absence

Ces femmes qu'un seul trait retrace à la renverse
Comme si j'avais rejeté les vieux vêtements du langage
Et que tu me sois revenue au-delà des idées
Soudain nue
Ou le drap lentement tiré d'une mémoire
Sur toi seule ô grande désordre de ma vie
Ô merveilleux merveilleux désordre de ma vie
Le drap géant de la parole rejeté de toi pour
tout à coup

Rouvrir les yeux sur toi telle au fond de la vue
Fermés que tu demeures
Une chose de scandale au cœur des siècles gravée
au fond d'un tombeau
Revoir non rêver
L'inscription tremblante sur ta lèvre
Le discours infini dont m'entourent tes bras

Le long cérémonial oblique d'aimer

J'écris ton corps j'écris ton âme
Sans l'intermédiaire des mots
Mon amour dénoué ma tempête de flammes
Sur le lit de moi-même où tu n'es pas
Encore

J'écris tex mains tes bras tes yeux ta bouche
D'un seul trait qui parcourt en dément tes mystères

D'un seul trait qui se tord qui se mord qui se traîne
et proteste
D'un seul trait convulsé qui t'étreint de cent gestes
Une fois encore encore une fois
J'écris toi comme un battement d'ailes sur les toits

Et le ciel est soudain peuplé du grand signe de croix
Des cigognes

These women that a single line retraces backwards
As if I had rejected the old clothes of the language
And may you come back to me beyond the thoughts
Suddenly naked
Or the sheet pulled slowly off a memory
On you alone O great disorder of my life
O marvellous marvellous disorder of my life
The great sheet of the word rejected by you
suddenly

To open my eyes on you again just as deep down
Yours remain closed
Something scandalous in the heart of the centuries engraved
on the base of a tomb
See again not dream
The trembling inscription on your lip
The infinite discourse with which your arms surround me

The long oblique ceremonial of loving

I write your body I write your spirit
Without the intermediary of the words
My uninhibited love my storm of flames
On the bed of myself where you are not
Yet

I write your hands your arms your eyes your mouth
With a single line that races over your mysteries like a madman

With a single line that writhes that gnaws that trails along
and declares
With a single convulsed line that holds you in a hundred
embraces
Once more once more
I write you like a fluttering of wings on the roofs

And the sky is suddenly thronged with the great cross sign
Of the storks

3

Je revois la chambre Une chambre N'importe
quelle chambre Pas
N'importe quelle mais celle-
Ci je ne sais où je ne sais quand mais
Celle-ci dans un hôpital sombre à la campagne
où les arbres
Aveuglent la fenêtre verts et noirs une
Chambre où tout est poussière passé nuit rien
Ne tient sur ses pieds les chaises ni
La table de toilette un guéridon le tapis de travers
Et le haut lit d'édredons passés avec la couverture
blanche
Sa frange aux pompons arrachés

Comme nous l'avons du moins je l'ai cette chambre
Aimée

Quand donc quel siècle quelle année
Tout comme une horloge immobile on peut en dire
l'heure et la minute mais
Quel siècle quelle saison
Sait-on bien

Tes chaussures près d'un fauteuil inquiètes
Le linge à terre glissé

Tout n'est plus qu'un murmure énorme à la
limite d'être
Une fatigue folle et douce au bord de dormir
Quelqu'un parle au dehors et c'est là le silence

Peut-être un jour peut-être j'ai pensé peut-être
Nous nous ressouviendrons de cette chambre ailleurs
N'importe où mon amour hors du monde
J'ai pensé nous nous ressouviendrons Dans d'une ville de
clameurs Au bord d'un plage où la mer lentement meurt
Dans un pays de violent soleil sur des carreaux rouges
Quelque part en Allemagne ou dans ce pays de statues
À la limite des forêts J'ai pensé

I see the room again A room Any room
Not any but this
    I don't know where I don't know when but
    This in a dismal lodging in the country
where the trees
    Green and black blind the window a
    Room where everything is dust past night nothing
    Stands on its legs the chairs nor
    The dressing-table a pedestal table the carpet awry
    And the high bed of faded eiderdowns with the white
coverlet
    Its fringe of torn pompoms

    As we say at least I have this room
    Loved

    When then what century what year
    Just like a stopped clock we can tell
the hour and the minute but
    What century what season
    Do we really know
    Your shoes near an armchair restless
    Linen slipped to the floor

    Everything is no more than an enormous murmur at the
boundary of being
    A tiredness crazed and sweet on the verge of sleep
    Someone speaks outside and there is silence

    Perhaps one day perhaps I've thought perhaps
    We'll remember this room somewhere else
    No matter where my love through the world
    I've thought we'll remember In a town of
    Uproar At a beach where the sea slowly ebbs away
    In a country of high sun on red tiles
    Somewhere in Germany or in this country of statues
    At the tree line of the forests I've thought

Et voilà qu'aujourd'hui je sens à nouveau cette chute
Au profond du lit ancient d'une pierre et très loin

Le cri

And only today I sense again this dropping
In the depth of the old bed of a stone and very far away

The cry

4

Ce jour que je t'avais perdue et j'en parle
Ailleurs qu'est-ce qu'ailleurs toujours ailleurs
dire ailleurs comme on crie aïe un départ
De caille

Je dis ailleurs tous les trois mots Vous n'avez pas
remarqué Pour rien sous d'insolents prétextes d'assonance
L'appel de l'empailleur dans la roue ou
Dans moi L'ailleurs est dans moi je m'y perds
Il faudrait
Rassembler tous ces bruits de moi-même ces
Mystérieux mots rayés noircis noyés dans un cahier
Par exemple ou des feuilles de tiroir qu'on retrouvera
qui sait
Moi mort ou vivant même effacé peu à peu
taché haché de rides pour
Signifier à la chair que ça ne compte pas ou plus
cet homme
Encore
Une rature

Tout ce que j'aurai dit inachevé ces commencements
ces éclairs vus
Qu'avais-je en tête qui
S'est évanoui
Ce jour que je t'avais perdue

Et le souvenir vous en revient d'une telle violence
Au milieu de la nuit un rêve non rien d'un rêve
L'évidence qu'on s'en lève
Au milieu de la nuit par les pièces d'ombre
Épaisse où les meubles ne sont plus à leur place jamais
Plus à leur place
Suivant une lumière obscure obscurément jusqu'
À ce lieu d'écrire et les crayons épars ces choses
d'encre et d'épouvantes
Et le papier hâtivement sali froissé jeté dans la corbeille
Ah qu'avons-nous qu'ai-je fait de nous le mot *nous*
dans ma bouche à genoux

This day that I had lost you and I speak of
Elsewhere what's elsewhere always elsewhere
saying elsewhere like crying ouch a flush
Of quail

I say elsewhere every second word You haven't noticed
without good reason under irrelevant pretexts of assonance
The chair-bottomer's call in the street or
In me The elsewhere is in me I'm all at sea
I'd have to
Gather all these signals of myself these
Enigmatic words scored scribbled stranded in an exercise book
For example or episodic pages to be found again
who knows
I dead or even alive worn out little by little
patched hatched with wrinkles to
Intimate to the flesh that doesn't count or longer
this man
Still
A failure

Everything I'll have said unfinished these beginnings
these flashes seen
What I had in mind which
Has vanished
This day that I had lost you

And the memory comes back to you with such a force
In the middle of the night a dream no nothing like a dream
The evidence that you get up out of it
In the middle of the night through the rooms in pitch
Darkness where the furniture is no longer in place never
Again in place
Following a dim light darkly to
This writing place and the scattered pencils these things
of ink and of terror
And the paper hastily marked crumpled thrown in the basket
Ah What's the matter with us what have I done to us the word
us in my mouth on my knees

Ce jour je t'avais perdue

Je cherche à tâtons ce labyrinthe d'heures cet enfer
Tranquille un jour de soleil il me semble et ce n'est
Pas sûr pas très sûr je ne sais déjà presque rien de cette
nuit d'avant
Le matin je palpe un matin gris dans ce grand ciel
de verre
Avais-je à la fin des fins dormi seul cédé seul
au sommeil
Un matin gris dans l'atelier dévasté de toi

Des objets
Stupides l'armoire ouverte
Il n'y a pas la plus
Petite
        raison de fermer l'armoire
Une chose
            tombée

Ce soir que je t'avais perdue

Quand s'est-il levé ce jour pourquoi s'est-il
Levé je vois
                la pièce énorme et vide où tout
Est dispersé de toi déchiré de toi dévasté Je me suis
Assis comme une ruine au bout du monde
À laquelle jamais ne sera répondu
Sur les marches de l'échelle accroupi sur les marches
de moi-même
Ne plus voir la soupente et le lit éventré les draps
Pendants

This day that I had lost you

I grope along this labyrinth of hours this still
Hell a day of sunshine I think and it isn't
Certain not completely certain already I know almost nothing
of this night before
In the morning I feel a grey morning in this great sky
of glass
Had I after all slept alone yielded to
sleep alone
A grey morning in the studio bereft of you

Stupid
Objects the wardrobe open
There isn't the
Slightest
        reason to close the wardrobe
Something
                fallen

This night that I had lost you

When did this day dawn why did it
Dawn I see
                the great empty room where everything
Is scattered from you torn from you bereft I sat
Like a ruin at the ends of· the earth
Which will never receive an answer
Hunched on the rungs of the ladder on the rungs
of myself
No longer to see the closet and the gutted bed the sheets
Trailing

Mais comment s'est-il levé par où levé ce jour
Brumeux et gris désert muet ce jour aveugle et vide

Comment s'est-il levé de moi sur moi ce jour sans jour
immense et blanc
Ce jour sans un mot que le bruit dérisoire à la porte
où quelqu'un dépose
Une bouteille de lait j'ouvre moi j'arrache cette porte
J'arrache cette porte à ses gonds
Il n'y a déjà plus personne Des pas dans l'escalier plus
personne
Qu'une bouteille de lait

Ce jour que je t'avais perdue

Tout un jour devant moi sa porte ouverte où nul ne lit
le destin
Tout un jour de mille et mille détails oubliés
inoubliablement
Tout un jour qui commence à sa blessure et j'ignorerai
toujours
Si j'eus froid si j'eus faim si j'eus peine si j'
Ah bouger pourquoi bouger changer de place aller
descendre au fond du trou qu'est-ce que j'ai
Besoin de remuer de regarder la bouteille et le désordre
Tout un jour et comment le ciel a-t-il osé changer
Je ne sais plus si c'est ici qu'il a ou là changé le gris
moins gris une vraie
Insulte et tous les gestes machinaux machinalement faits
Il y avait du soleil dans un autre quartier de la ville
Fantastiquement vide on ne sait pas comme
une ville peut
Être vide
Et sans paroles Je n'aurais
Jamais cru Paris capable de cela
Capable de ce jour

But how did this day dawn which way dawn
Hazy and grey deserted dumb this day blind and empty

How did it dawn from me on me this day without day
boundless and white
This day without a word only the ridiculous noise at the door
where someone puts down
A milk bottle I open I I tear this door
I tear this door off its hinges
Already there is no one any more Steps on the stair
no-one any more
Only a milk bottle

This day that I had lost you

A whole day before me its open door where no one reads
its destiny
A whole day of thousands and thousands of forgotten details
never-to-be-forgotten
A whole day which starts from its wound and
I'll never know
If I was cold if I was hungry if I was in difficulty if I…
Ah move why move change places go down to the
bottom of the place why do I
Have to stir to watch the bottle and the disorder
A whole day and how has the sky dared to change
I no longer know if it has changed here or there the grey
less grey a real
Insult and all the involuntary gestures unconsciously made
It was sunny in another quarter of the fantastically
Empty city it's not known how
a city can
Be empty
And wordless I would
Never have believed Paris capable of that
Capable of this day

Ce jour que je t'avais perdue

Ce jour-là ce jour-là
Je n'étais plus qu'un homme de poubelle
Un être jeté comme une boîte ouverte un
Débris l'écorce
Écœurante d'un melon et même les bruits
M'étaient silence
                              Il régnait sur Paris
Ce silence de toi
Cet étrange silence intérieur où les
Passants ont l'air de poissons sourds
Personne
              Il n'y a personne nulle part
Que des pas pour du beurre

Pourquoi plutôt par ici que par là pourquoi partir
pourquoi rester
J'ai longuement regardé balayer le
Balayeur dans la rue
                              Campagne-Première
Le bal ailleurs
Nous avions fait la guerre ensemble
                              La première

Rien de plus singulier qu'un balayeur Connaître
Un balayeur Qui parle
Au balayeur Qui s'arrête auprès de lui
Disant paroles d'homme au balayeur
Qui lui raconte
                    au balayeur
                              comme il pleuvait
En quatorze cent quinze au jour d'Azincourt
Qui songerait à lui raconter la mort de Patrocle avec
des larmes
Et les journaux s'en vont dans le ruisseau le long du
trottoir
Je n'ai pas dit non plus au balayeur ma peine
C'était un jour comme un autre un jour sans oiseaux

This day that I had lost you

That day that day
I was no more than a junk man
A human being thrown away like an empty tin a
Scrap the sickening
Rind of a melon and even the noises
Were silence for me
                              It reigned over Paris
This silence of you
This strange inner silence where the
Passers-by look like deaf fish
No one
              There is no one anywhere
Only footsteps for nothing

Why this way rather than that way why leave
why stay
      For a long time I've watched the street-sweeper
Sweep in the street
                              Campagne Première
The ball elsewhere
We'd gone to war together
                              The First

Nothing stranger than a street-sweeper To know
A street-sweeper Who speaks
To the street-sweeper Who stops beside him
Speaking to the street-sweeper as man to man
Who tells him
                    the street-sweeper
                              how it rained
In 1415 at Agincourt
Who would dream of telling him tearfully about the
death of Patroclus
      And the newspapers stream in the gutter along
the pavement
      Neither have I told the street-sweeper my trouble
      It was a day like any other a day without birds

Ce jour ce jour percé que je t'avais perdue

This day this riddled day that I had lost you

5

Il y eut le temps mort des grottes
Devinez dans quelle main nous sommes La droite
Ou la gauche Il y eut tant
Et tant de haltes de lieux de halte menacés
Tant d'asiles comme un arbre trempé par grande pluie
Une saison de pollens perdus de papillons pris
dans les cintres
Logis ouvert à la tempête un folk-lore
D'incertitude et les éveils soudain des voix au dehors
Dans quelle main la femme et l'homme

Nous allions de cambuse en cambuse Au combien
Quel étage au deux ou troisième et je revois
Entre la mer et cette ville-ventre
La demeure peinte on la dirait double
                                        En bas
L'humble épaule comme un palier portant la tête
Nous perchons dans le bâtiment supérieur
Le noble avec ses lambris délabrés ses plâtras
Les rêves au piège incolore des tuiles
Et le linge à ses pieds séchant sur la terrasse

Refuge suspendu comme un
Panier de nuages

Le long couloir La chambre avec nos valises
Dormant sur la ruelle de côté Les hauts
Plafonds Arcades L'escalier monumental
À descendre Puis ça s'étrangle comme un puits
Dans cette part énigmatique de l'Hôtel
Piédestal rez-de-chaussée entresol comment
Appeler cela vestibule étable ou bauge
Cette part encombrée obscure de l'Hôtel
Cet étroit passage où se font je ne sais trop quels
Trafics les Bains toujours clos l'Etablissement
De Bains à la dérobée
Où ne sembler entrer
Jamais personne
Comme si les gens d'ici ne se lavaient plus

There was the idle time of the grottos
Guess what hand we're in The right
Or the left There were so many many
Stops threatened stopping-places
So many shelters like a tree drenched by heavy rain
A season of ruined pollens of butterflies
trapped in the rigging
Lodgings exposed to the storm a litany
Of uncertainty and the starts suddenly voices outside
In which hand the woman and the man

We went from lodging to lodging Which one
What floor second or third and I see again
Between the sea and this town-maw
The painted dwelling you'd call semi-detached
                                              Below
The humble shoulder like a landing supporting the head
We hang out in the upper structure
Stately with its fallen plaster its debris
The dreams in the colourless trap of the tiles
And the linen at its base drying on the terrace

Refuge hung like a
Basket of clouds

The long corridor The room with our suitcases
Sleeping on the ruelle on one side The high
Ceilings Arches The massive staircase
To go down Then that narrows like a shaft
In that mysterious part of the Mansion
Pedestal ground floor mezzanine what
To call that hall byre or pigsty
That dark cluttered part of the Mansion
That narrow passage where I don't quite know what…
Business goes on the Baths always closed the Institution
Of Baths on the sly where no one ever seems to go in
No one ever
As if people here didn't wash any more

Te souvient-tu du rideau vert que soulevait
D'une main maigre où brille toujours pour moi la
bague jaune
La femme en las le regard d'ombre sur les gens
Le bruit bavard des clés de numéro qu'on donne
Mais tout cela se termine au-dessous de la greffe

Là-haut tu te blottis dans mes bras mon doux sanglot
Ma tendre amour prise avec moi dans la charnière
De l'histoire Au-dessus de nous la girouette
Il n'y a plus de rime à rien
                              Simplement grince

À contrecœur tu l'as quitté le garni de *Mille Regrets*
Echangeant le Manège et le cheval de zinc au-dessus
dans l'impasse
Pour le voisinage muet de l'Opéra municipal
Car il semble en aller en ce monde équivoque ainsi
Que des Bains de la Musique
En te penchant toutefois tu peux apercevoir un bout
de ciel par le fenêtre
Et les poussières d'un palmier
Y a-t-il des gens dans toutes les chambres
J'entends très peu très peu parler marcher
Le pâle soleil de la fin septembre
S'arrête aux carreaux sans pénétrer chez
Nous

Je n'entends pas mieux lamenter ou rire
Par la porte ouverte on ne voit vraiment
Qu'un vague va-et-vient de domestiques
À peine à la nuit des mots étouffés
Dieu sait s'il y a d'autres locataires
Par où peuvent-ils entrer dans l'immeuble
S'ils ne sont pas fées

Do you remember the green curtain which lifted
By a skinny hand on which the yellow ring always
sparkles for me
The woman downstairs the gloomy look on the people's faces
The clattering noise of the keys the number given
But all that ends below the horse-shoe

Up there you nestle in my arms my quiet sob
My tender love caught with me at the turning-point
Of history Above us the weathercock
There's no more rhymes for anything
                                    Simply grinds

Unwillingly you left the furnished rooms of *Mille Regrets*
Exchanging the Manège and the zinc horse
above in the cul-de-sac
For the silent neighbourhood of the municipal Opera
For it seems to be the same in this ambiguous world
With Music as with Baths
Yet leaning you can see a bit of sky
through the window
And the dust of a palm tree
Are there people in all the·rooms
I hear very very little talking walking
The wan sun of the end of September
Stops on the window-panes without coming in to
Us

I don't hear crying or laughing better
Through the open door one really sees
Only a vague coming and going of maids
Hardly at night stifled words
God knows if there are other tenants
How can they get into the house
Unless they are fairies

Te souviens-tu de la chambre où le vent soufflait de
partout
Te souviens-tu mon cœur des heures incertaines
Et des souvenirs qui n'en étaient plus
Dans le corridor le coup d'œil des portes
Dans les escaliers les trous du tapis
On croirait toujours surprendre une femme
Qui perd sa pantoufle
Et le bruit de sa robe et le vol au tournant
De son écharpe

D'où vient parfois cet air illusoire de harpe
Et la dérision d'habiter un palais

Le valet ferme les volets
Avec les gestes exemplaires
Cet homme a sa manière à lui de revenir sur ses pas
S'assurer que tout est bien en place pour le crime

Et longtemps après son départ nous écoutions la nuit
Saigner et geindre au loin sur un sable de grenats noirs

Moi je restais les yeux ouverts à tes côtés sans savoir
ou non
Si tu dormais déjà je ne sais jamais si déjà tu dors
Je surveille l'oiseau léger qui respire en toi comme
un oiseau
Si faiblement parfois que je m'en épouvante
Les yeux ouverts à rêver au sommet clignotant
des étoiles

Et tous les soirs et tous les soirs dans le fauteuil usé
venait s'asseoir
Près de l'âtre sans feu le spectre familier
Ses bottes ses longs cheveux sa frange et son étroite
ceinture haute
Qui sifflotait un air italien sans me voir
Jusqu'aux premiers charrois dans l'ornière des rues
Les cris des marchands de fleurs dans les roues

Do you remember the room where the wind blew in from
everywhere
    Do you remember dear heart unsettled hours
    And memories which were no more
    In the corridor the look of the doors
    On the stairs the holes in the carpet
    One would always expect to surprise a woman
    Who has lost her slipper
    And the rustle of her dress and the flapping at the twist
    Of her scarf

    Where does this illusory air of a harp sometimes come from
    And the false show of living in a palace

    The valet closes the shutters
    With exemplary flourishes
    That man has his own style of retracing his steps
    To make sure that everything is in its proper place for the crime

    And long after he went away we listened to the night
    Bleeding and grizzling in the distance on a sand of black garnets

    I I remained open-eyed by your side without
knowing
        If you were sleeping yet or not I never know if you're sleeping yet
        I watch over the light bird that breathes in you
like a bird
        So faintly sometimes that I take fright at it
        Musing open-eyed on the twinkling zenith
of the stars

        And every evening and every evening the familiar ghost
came to sit in the shabby armchair beside the cold hearth
        His boots his long hair his fringe and his high
tight belt
        Who whistled an Italian air without seeing me
        Until the first carts in the ruts of the streets
        The cries of the flower sellers in the wheels

Tant que peut-être las au matin de hanter sa chambre
d'antan
Triste à mourir de sa jeunesse
De cet enfant d'Arcole et du pont de Lodi
Sans m'avoir vu peut-être et sans m'avoir rien dit
Il fallait à la fin qu'avec l'aurore il parte
Le jeune citoyen-général Bonaparte
Peut-être bien pour prendre son café

As well as weary perhaps in the morning of haunting his old room
Sad to die in his youth
Of this son of Arcole and the bridge of Lodi
Without having seen me perhaps and without saying anything to me
He had to go at dawn at the end
The young Citizen-General Bonaparte
Very likely to take his coffee

6

Toutes les chambres de ma vie
M'auront étranglé de leurs murs
Ici les murmures s'étouffent
Les cris se cassent

Celles où j'ai vécu seul
À grands pas vides
Celles
Qui gardaient leurs spectres anciens
Les chambres d'indifférence

Les chambres de la fièvres et celle que
J'avais installée afin d'y froidement mourir
Le plaisir loué Les nuits étrangères

Il y a des chambres plus belles que blessures
Il y a des chambres qui vous paraîtrons banales
Il y a des chambres de supplications
Des chambres de lumière basse des
Chambres prêtes à tout sauf bonheur
Il y a des chambres à jamais pour moi de mon sang
Éclaboussées

Toutes les chambres un jour vient que l'homme s'y
Écorche vif
Qu'il tombe à genoux qu'il demande pitié
Qu'il balbutie et se renverse comme un verre
Et subit le supplice épouvantable du temps
Derviche lent le temps est rond qui tourne
sur lui-même
Qui regarde d'un œil circulaire
L'écartèlement de son destin
Et le petit bruit d'angoisse avant les
Heures et demies
Je ne sais jamais si cela va sonner ma mort
Toutes les chambres sont chambres de justice
Ici je connais ma mesure et le miroir
Ne me pardonne pas

All the rooms of my life
Will have strangled me with their walls
Here the murmurs are stifled
The cries break off

The rooms where I lived alone
With great empty strides
The rooms
Which kept their old ghosts
The rooms of indifference

The rooms of the fever and the one
I had booked in order to die there coldly
Bought pleasure Strange nights

There are rooms more beautiful than wounds
There are rooms that will seem banal to you
There are rooms of begging
Rooms of dim light
Rooms ready for everything but for happiness
There are rooms for ever for me with my blood
Spattered

All the rooms a day comes when the man
Flays himself alive there
That he falls to his knees there that he begs for mercy
That he stutters and upsets himself like a glass
And suffers the terrible torture of the times
Slow Dervish time is a circle that whirls
on himself
Who casts his eye
At the quartering of his fate
And the low moan of anguish before the
Hours the halves
I never know if it is going to strike my death
All the rooms are courtrooms
Here I know my measure and the mirror
Does not pardon me

Toutes les chambres quand enfin je m'endormis
Ont jeté sur moi la punition des rêves

Car je ne sais des deux le pis rêver ou vivre

All the rooms when at last I fell asleep
Have cast on me the punishment of dreams

For I do not know of the two which is the worse to dream or to live

7

Le miroir qui me regarde et s'afflige Il lit sur moi
l'histoire des années
Cet alphabet sourd qu'un temps solaire tatoue au front de
l'homme mal luné

Le miroir gris
                            déchiffre seul mon histoire
Aux secrets noueux de mes veines
Il en aurait à dire ayant lu comment dans ma chair
se creusent les avens

Le miroir gris a bien du mal à se souvenir de tout
le malheur qu'il voit
Il lui manque les mots pour fixer il lui manque la voix
Je ne suis qu'un détail de la chambre pour lui qu'une
larme sur son visage
Lourde lourde larme longue à lentement tomber droit de
l'œil selon l'usage

Le miroir gris en sait tant et tant sur mon compte Il ne
s'étonne plus de rien
Il me voit nu mieux que personne il devine l'homme
dans la noix comme un chien
Qui bouge dans sa niche il le devine aux vagues sursauts
que j'ai dans mes songes
Devine à ce bras qui pend du lit tout à coup ce qui me
mine et qui me ronge
Il se demande si je dors
                            et ce qui peut ainsi
gémir dans ma pensée
Cette nuit il s'ennuie il s'attend guère que de moi des
choses insensées

Voilà qu'il ne m'entend plus et pris soudain d'une peur
aveugle de la mort
Craignant n'être plus terni de mon souffle il se détourne
épie Elsa qui dort

The mirror which looks at me and grieves He reads on me
the story of the years
      This deaf alphabet that a solar time tattoos on the forehead
of the ill-natured man

      The grey mirror
                              makes my story out alone
      In the gnarled secrets of my veins
      He would have enough to say having read how the holes grow
hollow in my flesh

      The grey mirror has a deal of trouble in remembering all
the misfortune that he sees
      He has no words to fix it he has no voice
      I am only a detail of the room for him only
a tear on his face
      Heavy heavy tear elongated to fall slowly plumb from
the eye as usual

      The grey mirror knows so much about my life He is no longer
surprised by anything
      He sees me naked better than anyone he guesses at the man
in the 'nut' like a dog
      Which stirs in his kennel he guesses at him from the shapeless
starts I have in my dreams
      Guesses from this arm which hangs over the bed all at once
what saps me and erodes me
      He wonders if I sleep
                              and what can moan
in my thoughts like this
      Tonight he wearies he looks for little from me but
senseless things

      Look he hears me no more and suddenly seized by a
blind fear of death
      Fearing to be no longer misted over by my breathing
he turns away spies on Elsa who is sleeping

8

Très tard non point dans le jour ou l'année
Non point dans la nuit ou la saison

Très tard non pour la fatigue ou pour les fleurs
Pour s'endormir ou pour faucher les blés

Très tard de nous très tard de vivre
Et déjà tressaille au fond du paysage la minute
Extrême

Tout en haut des parfums d'herbes solaires
Immobile où tremble l'heure
La maison de pierre dans les pierres

Immobile aussi l'arbre courbé de vent
Les chambres de l'été se consument

L'œil voit si loin qu'il se perd où la lumière évanouit
Les monts d'orgeat
De qui l'odeur est d'incendie

Plus bas que nous perchés sur un escargot rouillé
Des hommes sous leurs toits fanés de courges
Se cachent mais au-dessus s'étend pour moi
Le royaume provisoire de ton cœur J'
Ecoute je l'écoute battre
Tôt ou tard

La maison qui t'entoure à la mesure
De mes bras Rien d'autre
Il y fait la grande fraîcheur des temps
Torrides

Très tard

Very late not at all in the day or the year
Not at all in the night or the season

Very late not for weariness or for the flowers
For falling asleep or for cutting the corn

Very late for us very late for living
And already in the depth of the landscape the utmost moment
Quivers

At the very peak of the scents of solar grasses
Motionless when the hour trembles
The house of stone in the stones

Motionless too the tree bent by the wind
The summer fields waste away

The eye sees so far that it becomes lost where the light fades
The syrupy hills
Of which the smell is of burning

Lower down than us perched on a rusted spiral staircase
Men skulk under their faded roofs of gourds
But above extends for me
The provisional kingdom of your heart I
Listen I listen to it beating
Early or late

The house that surrounds you to the extent
Of my arms Nothing else
There lies the great coolness of the torrid
Times

Very late

Femme je te donne aujourd'hui ton plus beau nom de
femme
Ici ma merveille à ce moment de nous je t'appelle
D'un nom d'Espagne âpre et doux comme un fruit
des collines
Un fruit de soleil et de silence
Je te donne le nom du vent tombé le nom
D'être nu d'ouvrir l'épaule à l'odeur du café
Et tout n'est que semblant de lire dans les pièces
Où chaque chose à sa place attend le passage
de tes mains
Mon amour je te donne aujourd'hui le nom
de Solitude

Très tard

Voilà que d'être seul au pluriel s'écrit comme
aux ronces la mûre
Ce sang noir d'un songe partagé
Je te dis Solitude et tu tournes vers moi
Tout naturellement tes yeux déserts Je te
Dis Solitude et te voilà comme un drapeau de nul pays
à la hampe
Te voilà mon oiseau des cîmes mon oiseau sur place
étendant tes ailes
Te voilà pareil à l'horizon jamais vu je guette les pas
De ton âme et je te dis le nom nouveau de vin léger
Solitude vois-tu c'est toi ma Solitude

Ce nom qui t'est venue très tard sur mes lèvres
Ce nom dont l'air entier s'emplit sans plus
T'en étonner
Ce nom très tard à l'arrêt de nous-mêmes

Woman I give you today your most beautiful
woman's name
Here my marvel at this moment of ours I call you
By a Spanish name rough and smooth like a fruit
of the hills
A fruit of sun and of silence
I give you the name of the fallen wind the name
Of being naked of taking in the smell of the coffee
And all is only a show of reading in the rooms
Where everything in its place awaits the passing over
of your hands
My love I give you today the name
of Solitude

Very late

Look how being alone in the plural writes its name like the
brambleberry on the bushes
This black blood of a shared dream
I call you Solitude and you turn to me
Quite naturally your lonely eyes I
Call you Solitude and there you are like a flag of no country
on the pole
There you are my bird of the treetops my bird on the spot
spreading your wings·
There you are like the horizon never seen I lie in wait for the
steps
Of your spirit and I call you the new name of light wine
Solitude do you see it's you my Solitude

This name which has come to you very late on my lips
This name with which the whole air fills without any longer
Surprising you at it
This name very late at the stopping-place of ourselves

Plus tendre que tous les noms jamais que les gens t'ont
donnés
    Le jour va se passer sans qu'il vienne personne
    Il va se taire infiniment autour de nous
    Ecoute-le sans parole un doigt sur sa bouche de jour
    Balbutier tout bas les minutes trompées
    Le jour s'en va comme une robe à tes pieds tombe
    La brume naît dans les fonds bleus blanche
    Les yeux partout les yeux s'allument
    Dans la gorge en bas un bruit de charrette S'arrête
              On ne voit plus bientôt
    Fleurir roux tout à l'heure encore
    Les tombeaux ténébreux
                  Une auto
   Soudain déchire d'un
                 bruit torrentiel
    Le silence et lui seul
    Pourtant triomphe
           Il n'y aura
               plus
    Que nous la nuit
    De nous la nuit sans âge
               et son front pur
    Tu peux croire que j'ai toujours mon vrai visage
    Et non pas ce ravage mangé d'oiseaux
    Cruels

    Ce champ de seigle dévasté
    D'aigles

    Il est tombé partout des étoiles dans
    Les pierres d'an-
    Ciennes demeures d'avant l'homme partout
    Éparses

More loving than all the names that people have ever
given you
This day is going to pass without anyone coming
It is going to be infinitely silent around us
Listen to it without a word a finger to her lips by day
Falter out in a whisper the minutes whiled away
The day fades like a dress falling at your feet
the white mist rises in the blue depths
The eyes everywhere the eyes light up
In the gorge below a cart noise Stops
                    Soon we see no more
The gloomy tombs
Glow red in a few minutes again
A car
Suddenly tears with a
                            torrential noise
The silence and it alone
Triumphs however
                    There will be
                            no more
Than us tonight
Our night without age
                            and its forehead pure
You can take my word that I always have my true face
And not this devastation pecked by cruel
birds

This rye-field plundered
By eagles

Cracks have appeared everywhere in
The stones of for-
Mer dwelling places before man everywhere
Scattered

Un grain de vivre éparsemé
Cela dort dans l'épais du monde Au bord
Des rêves

Les temps d'avant les temps ne sont pas révolus
La chaleur brûle encore aux ailes les bourdons
Noirs

Il y a dans le vent tombé l'odeur
Séculaire des incendies
D'arbres

Solitude Est-ce elle ou toi
Que je dis
Nous vivons l'heure obscure dans ce grand
Drap brûlé

Solitude ô cri
De silence entre mes bras

Rappelle-toi Dans le grand jour, je t'ai
Donné ce nom maintenant noir

Solitude As-tu jamais entendu nom plus tendre à tes
genoux
Plus ivre à te toucher plus lourd à ton vertige
Et le dire me rend pareil à ton miroir
Obscur

J'ai fait de tout l'été ta chambre où je ne suis
Solitude pour toi qu'un murmure de l'ombre
Un balbutiement de se taire
Une montre au plus
                              inutilement
Consultée

A particle of life sown
That sleeps in the depths of the world At the verge
Of the dreams

The times before the times have not come full circle
The heat still consumes the black
Bumble bees

In the fallen wind there is the age-old
Smell of the burnings
Of trees

Solitude Is it she or you
Whom I call
We live the dark hour in this great
Burnt sheet

Solitude o cry
Of silence in my arms

Remember In broad daylight I have
Given you this name now dark

Solitude Have you ever heard a name more tender to your
knees
More drunk to touch you more clumsy to your giddiness
And to say it makes me equal to your mirror
Dark

I have made of the whole summer your room where I am
Solitude for you only a murmur of the darkness
A mumbling of keeping quiet
A watch at most
                          uselessly
Consulted

9

Que celui-là qui me hait vienne et me tue
Je lui dirai merci de tout mon sang

On prétend qu'à l'heure de mourir la mémoire
Passe la vie en revue
Epargnez-moi cette épreuve épargnez-
Moi cette épreuve du temps renversé
Qu'ai-je fait au ciel pour devoir m'en souvenir

Je ne veux qu'errer dans ces chambres des
temps damnés
    J'ouvre les portes sur le silence de nous
    J'écoute le passé fuir d'un vase fêlé
    Et la fleur se flétrir par défaillance d'eau s'effacer
le parfum dans sa fange
    Il ne me faut qu'être en tes bras tes doubles
bras d'oubli

    Chambres des vêtements jetés sur une chaise
    Ce soir je ne chercherai pas le soulier perdu
    Je n'ouvrirai pas les lettres qui m'attendent sur la table
    Ma lèvre à ton épaule étouffe les sanglots
d'anciennes nuits
    Chambres où ne parlent plus que les meubles
abandonnés à l'ombre

    Nous arrivons au bout du voyage Les chevaux
    N'en peuvent plus Même les grelots
    S'éteignent
    Que tout me fut et long et lent
    J'ai marché sur les genoux mes années
    Mes chemins saignent
    Le paysage autour de nous n'a plus
    D'arbres que de pitié
    Il ne s'entend que sanglots par le siècle Ainsi
    Nous n'aurons rien pu faire épouvantablement
    Que voir le martyr et le meurtre
    J'avais cru pourtant j'avais cru

Let that man who hates me come and kill me
I'll say thanks with all my being

They say that at the hour of death memory
Reviews life
Spare me this trial spare
Me this trial of time reversed
What have I done to heaven to have to remember

I only want to wander in these rooms of the
damned times
I open the doors on our silence
I listen to the past bleeding from a cracked vase
And the flower wilt for lack of water wear away
the scent in its slough
I only need to be in your arms your overlapping
arms of oblivion

Rooms of clothes thrown on a chair
Tonight I'll not look for the lost slipper
I'll not open the letters which wait for me on the table
My lip to your shoulder chokes the sobs of
former nights
Rooms where only the chairs speak
shrouded in shadow

We come to the end of the journey The horses
Can pull no further Even the bells
Die away
How long and slow everything was for me
I've crawled on my knees my years
My roads bleed
The landscape around us has no more
Trees than compassion
It only understands sobs by the century So
Appallingly we'll have been able to do nothing
But see the martyr and the murder
Yet I had believed I had believed

Ô tes doigts tendres sur ma bouche
Ce n'est pas moi que je plains mon enfant mais
Les autres le blé troué battu des autres sous la grêle
Et de ne rien pouvoir qu'en être écartelé
Maintenant je sais comment les choses peu
À peu s'égrènent

Il ne reste autour de nous que cette brume du regard
Qui n'en finit plus d'en finir
Quelles sont pourtant les paroles dernières
Après quoi rien n'a place et le cœur est glacé
Je n'entends plus déjà les pas pressés des gens
La concierge n'a pas monté les journaux du soir

/

Ah ne t'éloigne pas ne t'endors pas avant que je te dise
Enfin l'essentiel il faut bien te
Le dire
Ce secret de toute la vie à l'heure où
L'air de ma lèvre encore entre nous palpite
Des ailes pâles de l'aveu et se disperse
Le pollen sans poids des paroles

Je n'aurai pas je n'aurais pas eu le temps de dire enfin
ce que je sais ce que je sais enfin Je m'y suis étant
À la fin de moi-même oh le temps
Perdu le temps de reconnaître
Le bien du mal le temps d'être si
Tard commencé
                    L'étoffe
En pièce J'en
Etouffe

Vivre après tout je sais enfin ce que ce fut
Mon amour
                et ce que c'est bien qu'on évite
De le croire et qu'on refuse

O your tender fingers on my mouth
It isn't myself I pity my child but
The others the wheat riddled battered under the hail
And not to be able to do anything but be torn apart by it
Now I know how the causes little
By little drop from the ear

There remains around us only this haze of the view
Which no longer makes an end of making an end
Which are however the last words
After which nothing has a place and the heart is a stone
Already I hear the people's hurried steps no longer
The concierge hasn't put up the evening papers

Ah don't go away don't fall asleep before I tell you
At last the essential it is very necessary
To tell you
This secret of the whole of life at the hour when
The air of my lip still stirs between us
Pale wings of confession and
The weightless pollen of words disperses

I'll not have I should not have had the time to say at last what
I know what I know at last I set about it being
At the end of my own time oh the time
Lost the time to distinguish
Good from evil the time to be so
Late begun
                    The fabric
On the roll I
Choke on it

Living after all I know at last what that was
My love
                    and what is good that one avoids
Believing it and that one refuses

De le croire et que l'on meure
Sans y croire

Mais qu'est-ce tout à coup ce galop dans ma tête
Ce charroi malgré moi de vers alexandrins
Ces sabots qui me piétinent la pensée
Ces fers martelant
Mes tempes C'est le temps qui passe le temps
Le temps qui ne supporte plus de ne pas
Passer Le temps à la fin des fins
Qui passe

Vivre après tout j'allais le dire mais
Le temps m'en reste-t-il ai-je encore le papier
Nécessaire à le dire le temps de papier
Les minutes des mots
Vivre après tout

Vivre après tout n'aura jamais été qu'une
Interminable erreur judiciaire et j'ai vécu
Pour le dire à l'instant sans réponse
Au moins le dire à l'instant sans réponse
Où personne ne peut que crier le néant

M'entends-tu m'entends-tu mais peut-être
Que je suis déjà muet que les mots en moi
Déjà meurent m'entends-tu

Il est exactement Dit la voix sans visage

To believe it and that one may die
Without believing in it

But what is this suddenly this gallop in my head
This chariot of alexandrines in spite of myself
These clogs which trample on my thought
These irons hammering
My temples It is the time which passes the time
The time which no longer bears not to
Pass The time when all's said and done
Which passes

Living after all I was going to say but
Have I enough time have I still enough
Paper to say it time paper
Minutes words
Living after all

Living after all will never have been anything but an
Interminable judicial error and I've lived
To say it at once without reply
At least to say it at once without reply
Where one can only proclaim nothingness

Do you hear me do you hear me but perhaps
I'm dumb already perhaps the words in me
Die already do you hear me

Precisely Said the faceless voice

10

Toutes les chambres de la vie au bout du compte sont
Des tiroirs renversés Toutes les
Chambres de la vie et celles dont
Je ne dis rien toutes les chambres maintenant
Muettes et pourtant
Murmurantes tous les murs sans mots les fenêtres
Mortes

Même où j'écris ceci dans l'aube très longtemps
Après
         Dans le silence plein d'oiseaux

Les chambres lettres déchirées
Il en reste des cris éteints de désordre d'avoir
Eté le désordre toujours d'être À partir d'un
Certain jour vivre n'est plus jamais que survivre
Plus jamais que ce désordre appelé dérisoirement
mémoire

Personne ici ne remettra plus les objets
À leur place plus jamais Tout
Aura perdu le sens qu'il avait pour moi seul
Le temps disperse tout jusqu'au fond des miroirs
Rien désormais ne signifiera plus rien Tant pis
Pour nous qui fûmes Les enfants
De l'avenir vont parler d'autre chose avec leurs
bouches fraîches

J'écris pour oublier j'écris dans mes pas
Pour effacer mes pas pour
Me perdre et que ces vers ne soient
Rien qu'ouverture du silence

Ne plus entendre le couteau depuis toujours qui
me travaille
         Le cœur

All the rooms of life at the end of the day are
Upturned drawers All the
Rooms of life and those
I say nothing of all the rooms now
Dumb and yet...
Murmuring all the wordless walls the windows
Dead

Even when I write this in the dawn a very long time
Afterwards
               In the silence full of birds

The rooms letters ripped up
There remain the echoes of faint cries the disorder to have
Been the disorder always to be Starting from a
Certain day to live is only to survive
Only this disorder derisively called
memory

No one here will put the objects back again
In their place never again Everything
Will have lost the meaning that it had for me alone
Time scatters everything right to the depth of the mirrors
Nothing from now on will mean anything any longer Too bad
For us who were The children
Of the future will speak of other things with their
fresh mouths

I write to forget I write in my tracks
To efface my tracks
To lose myself and may these lines be
Only the opening of silence

No longer to hear the pendulum which tormented me right
from the start
   The heart

Excusez-moi de vous le dire et d'avoir mal mais
je sais bien
Qu'avoir mal est tout à fait inexcusable
Cependant c'est à vous que j'ai mal mais mal gens de
plus tard
Et non pas comme il semble et semblera peut-être

Dieu que vienne le jour où je n'ouvrirai plus
Le journal tous les jours sur le malheur du monde
Vous voyez bien que je suis blessé de partout
Déjà Nulle part
Il n'y a place encore d'une plaie
Excusez-moi

On ne retrouvera plus les chambres Les maisons
Seront démolies comme on sait maintenant
Démolir que rien n'en subsiste pas la trace
D'un pied
Pas comme sous les siècles le sommeil
Des pharaons ni dans les géologies
Le creux d'un être qui vécut

Ô calme merveilleux qui vas venir commence
Comme un grand rire de la place faite où j'étais
Balayez balayez partout mon ombre et ma paille
Vents de miséricorde balayez
Mon souffle et ma parole

On ne bâtira plus les tombeaux
Il n'y aura plus de chants funèbres
Ce sera la fin de toute barbarie
Oh que le ciel sera propre et pur au-dessus
De notre absence et le temps
Nulle part n'aura d'horloge
Il fera beau

Forgive me for saying this to you and for being in pain but
I know
    That being in pain is quite unforgiveable
    Though it is for you that I am in pain pain indeed later
men and women
    And not as it seems and will seem perhaps

God let the day come when I shall no longer open
The paper every day on the unhappiness of the world
You see clearly I am wounded everywhere
Already Nowhere
Is there still room for another wound
Forgive me

We shall not find the rooms again The houses
Will be demolished as we know now
Demolish let nothing remain extant not the print
Of a foot
Not like under the centuries the sleep
Of the Pharaohs nor in geology
The hollow of a being who lived

O marvellous calm to come commence
Like loud laughter from the settled place where I was
Sweep away sweep away everywhere my shadow and my chaff
Winds of mercy sweep away
My breath and my word

They will build no more tombs
There will be no more funeral songs
It will be the end of every barbarism
O let the sky be clear and pure above
Our absence and the time
Nowhere will have a clock
It will be beautiful

Beau de cette beauté sans pair
Où rien n'est peint tout n'est que blancheur
De la toile Beau
              de cette beauté sans ride
Et sans nuage Beau
                d'une beauté de bouche d'ombre
Beau d'attendre le bord balbutiant du verre

Il fera si beau de mourir quand ce sera
Le soir d'enfin mourir d'enfin
D'enfin mon amour d'à mourir le soir d'enfin

Mourir

Un soir d'aubépines en fleurs aux confins des parfums et
de la nuit
Un soir profond comme la terre de sa taire
Un soir si beau que je vais croire jusq'au bout
Dormir du sommeil de tes bras
Dans le pays sans nom sans éveil et sans rêves

Le lieu de nous où toute chose se dénoue

                        Beautiful of this beauty without equal
Where nothing is painted everything is only the whiteness
Of the canvas Beautiful
                                of this beauty without wrinkle
And without cloud Beautiful
                                of a beauty of a mouth of shadow
Beautiful to reach the verge trembling of the glass

It will be so beautiful to die when it will be
The evening at last to die at last
At last my love to die in the evening at last

To die

An evening of may in blossom within the limits of the scents
and of the night
    An evening as deep as the earth of silence
    An evening so beautiful that I shall believe to the very end
    To sleep from the slumber of your arms
    In the nameless country without wakening and without dreams

Our place where everything unwinds

Comme je finissais de relire ces pages dans l'écriture étrange de l'imprimerie, il m'advint m'aviser que ces chambres ici dont je parle sont toutes chambres, Elsa, que nous eûmes ensemble, comme s'il n'avait jamais été chambres que de toi, et il est vrai, car avant toi je n'étais que le commis voyager de mon sommeil a des haltes, des femmes éphémères, et de ces quarante années passés et dépassés toute absence de toi m'était toujours la guerre, le campement, le désert, mais non ces lieux noués appelés chambres ou nids suivant l'espèce animale. Il me parut à refermer le livre qu'il manquait cet aveu d'entre la solitude et la tombe, où tout ce qui m'est feuillage ne verdit que pour te faire abri d'où nous sommes, et que te soit donc, si l'on en pouvait douter, à sa dernière heure ce poème des Chambres devant tous explicitement dédié.

Parce que tout passe, mais non point le temps d'avoir aimé, d'aimer encore, jusqu'à ce souffle dernier, bientôt, ce dernier mot proche et terrible.

As I was finishing reading over these pages in the unfamiliar print of the press, it occurred to me to note that these rooms which I speak of here are all rooms, Elsa, which we had together, as if there had never been rooms except with you, and it's true, for before you I was only the commercial traveller with my sleep at stops, ephemeral women, and in these forty years past and exceeded every absence from you was always war to me, the camp, the desert, but not these knotted places called rooms or nests to follow the animal kingdom. It seemed to me on shutting the book that it lacked this avowal from between solitude and the grave, where all my foliage grows green only to shelter you from where we are, and therefore let this poem of the Rooms, at its conclusion, be explicity dedicated to you before everyone, as if anyone could doubt it.

For all things pass, but not at all the time of having loved, to love still, to this last breath, soon, this last word near and terrible.

Elsa Triolet died on 16 June 1970.

Notes

Thanks are due to Béatrice Duchateau who read and commented on this translation.

For a detailed stylistic analysis of the poem, see Jerome Hennebert, 'The Aesthetics of full flight in *Les Chambres* by Louis Aragon', *Annals of the Society of the Friends of Aragon and Elsa Triolet* 8, 2006.

'Un jour noir dans une/Maison de mensonge'
It is difficult to know to which film this refers. The seven years given by Aragon suggests it could be the broadcast *Carte blanche* by Philippe Gerard who had set to music the *Chansons d'Antonin Blond* and *Les Chansons de Clarisse Duval* by Guillevic (characters of two novels by Elsa).

'Ce jour que je t'avais perdue'
Aragon and Elsa took up residence on Rue Campagne-Première in the spring of 1929. This reference as well as the descriptions, the 'enormous' room, the ladder and the closet, allow us to think that the episode takes place in the 1930s before the move to 18, rue de la Sourdière in February 1935.

'Il y eut le temps mort'
This section evokes the period of the Occupation in which the couple often had to change where they were staying in order to escape the French police and the Germans. In the short story *Mille Regrets*, Elsa Triolet gives as the residence of her heroine the flat Célimène, in which she lived with Aragon in1941; it was situated at 63, rue de France in Nice. Obliged to leave by their proprietor, the couple settled at 10, cité du Parc, near the Nice Opéra and the flower market where modest little houses stood close together facing the sea.

'Toutes les chambers de ma vie'
This section refers to Aragon's suicide attempt in Venice during the summer of 1928.